Adrien Albert

Simon
sur les rails

lutin poche de l'école des loisirs
11, rue de Sèvres, Paris 6ᵉ

Depuis le début de l'été,
Simon travaille dans une fabrique de marteaux.
Avant, il allait à l'école. Maintenant, il a un métier.

La sonnerie annonce que la journée
est terminée.

Simon est tout excité :
ce soir, après le travail, il part en week-end chez son grand frère.

Simon ne voit pas son grand frère très souvent.

Il habite de l'autre côté de la montagne,
et pour y aller il faut prendre le train.

Mais, grâce à l'argent qu'il a gagné,
Simon va pouvoir acheter un billet, et faire le voyage.

Malheureusement, l'employé des chemins de fer
annonce que le train du soir est annulé.

Au téléphone son grand frère le console : « Le train de ce soir est annulé ?
Ce n'est rien, tu prendras le train de demain matin, et je t'attendrai à la gare.
Des bisous, mon Simon. »

Mais Simon n'a aucune envie
d'attendre le lendemain matin.

Et pourquoi ne pas partir à pied ?
Tout de suite !

Comme il ne connaît pas bien la route,
Simon décide de suivre les rails.

Mais, très vite, les rails s'enfoncent dans un tunnel sombre et inquiétant.
Simon préfère passer au-dessus.

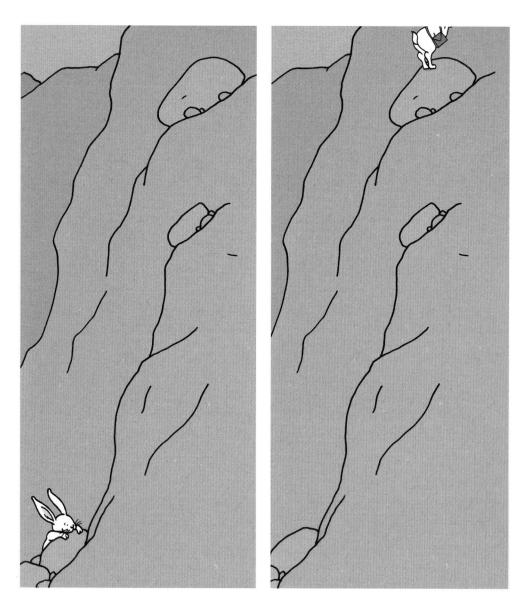

Simon grimpe ; s'il ne se trompe pas de chemin, il devrait arriver
avant le train du matin.

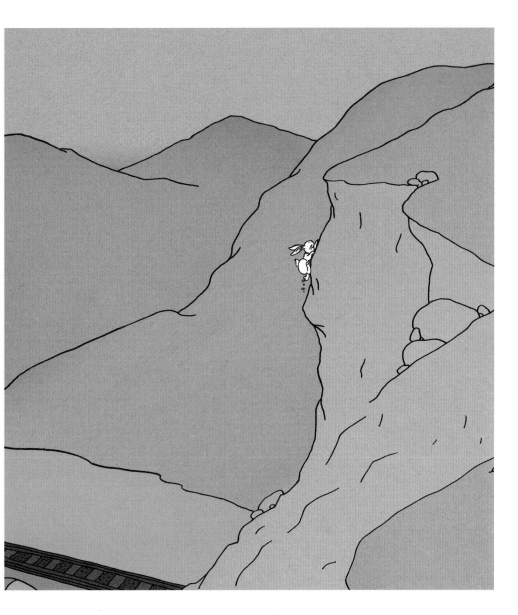

Ça fera une bonne promenade, et surtout une belle surprise pour son frère.

Soudain, la nuit est tombée. On n'entend plus un bruit.
Et si cette promenade était une mauvaise idée ?

De toute façon, il est trop tard pour faire demi-tour.
Simon doit faire ce qu'il a dit qu'il ferait.

Après cinq heures de marche, il s'arrête, se repose cinq minutes,
Puis il repart.

Le jour se lève, Simon a tellement marché qu'il ne sent plus ses pattes.
Mais le village de son frère et la gare apparaissent enfin.

Zut !
Voilà déjà le train du matin !

Le grand frère de Simon doit déjà être à la gare
et la surprise risque d'être ratée.

Vite !!! Cinq, quatre…

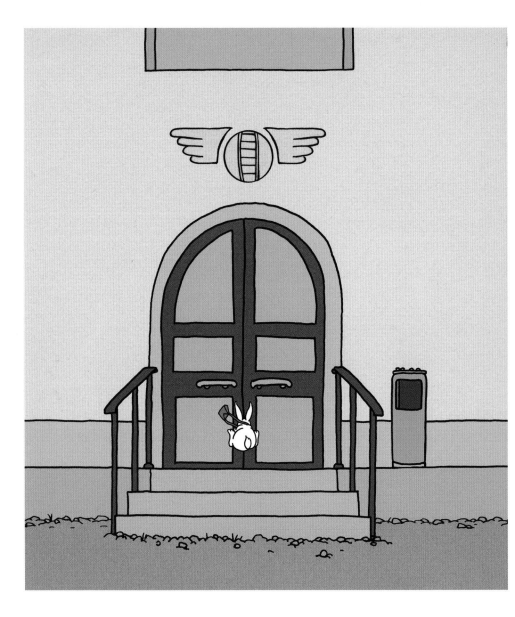

... trois... deux...

… un…

... Surprise !

« Simon ?!
ça alors, mon Simon ! Mais c'est incroyable, comment as-tu fait ? »

Sur le chemin qui mène au village,
ils croisent deux amis du grand frère de Simon.

Ces amis ont une camionnette, ils leur proposent de monter à l'arrière.
C'est une chance !

Simon n'aurait pas pu faire un pas de plus.